Annie Bacon

Le fantôme
du caporal poltron

Troisième tome
de la série *Terra Incognita*

Illustrations

Sarah Chamaillard

Collection Œil-de-chat

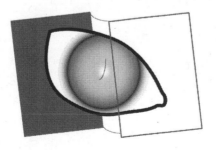

Éditions du Phœnix

© 2010 Éditions du Phœnix

Dépôt légal, 2010
Imprimé au Canada

Illustrations Sarah Chamaillard
Graphisme de la couverture : Guadalupe Trejo
Graphisme de l'intérieur : Hélène Meunier
Révision linguistique : Hélène Bard

Éditions du Phœnix

206, rue Laurier
L'île Bizard (Montréal)
(Québec) Canada H9C 2W9
Tél.: (514) 696-7381   Téléc.: (514) 696-7685
www.editionsduphœnix.com

Bacon, Annie, 1974-
        Le fantôme du caporal poltron
        (Collection Œil-de-chat ; 23)
        Pour les jeunes de 9 ans et plus.
        ISBN 978-2-923425-40-5
        I. Chamaillard, Sarah. II. Titre. III. Collection:
Collection Œil-de-chat ; 23.
PS8603.A334F36 2010   jC843'.6 C2010-941348-2
PS9603.A334F36 2010

Conseil des Arts   Canada Council
du Canada   for the Arts

Nous remercions la SODEC et le Conseil des Arts du Canada
de l'aide accordée à notre programme de publication. Nous
reconnaissons l'aide financière du gouvernement du Canada
par l'entremise du Fonds du livre du Canada pour nos activités d'édition. à notre programme de publication.

Annie Bacon

Le fantôme du caporal poltron

**Troisième tome
de la série *Terra Incognita***

Éditions du Phœnix

À Enid Blyton,
dont les récits d'aventures
ont marqué mon enfance
et inspiré cette série

Prologue

Le fantôme
du caporal poltron

L'appel du clairon résonne dans la plaine : une longue note et deux courtes.

— Ouf, ce n'est pas pour moi, soupire le caporal de MontJalbac, la tête entre les mains.

Le jeune militaire tend l'oreille ; il espère ne jamais entendre le signal annonçant l'heure de mener sa cohorte de soldats au combat. De longues minutes d'angoisse passent. À l'extérieur de la tente de toile, l'entrechoquement des armes crée une symphonie de staccatos métalliques dont les coups de canon constituent le point d'orgue.

Toutes ces années à l'Académie militaire n'ont pas réussi à préparer l'aristocrate à affronter la dure réalité de la guerre. L'idée même de montrer son nez sur ce champ de bataille où tout n'est que souffrance et chaos, le terrorise. Depuis longtemps, il espère trouver une source de motivation pour l'aider à surmonter sa peur, mais en vain. Ni la fierté potentielle de son père ni l'amour de sa patrie ne suffisent à lui redonner courage.

Trois longues notes se font entendre au-dessus de la clameur : le signal tant redouté. Philippe de MontJalbac est appelé à conduire son régiment au champ d'honneur, pour y vaincre l'ennemi ou pour y périr.

Plusieurs minutes plus tard, toujours terré dans sa tente, le caporal poltron sanglote.

Chapitre 1

Exercices de manœuvres

Pour la cinquième fois, Erwin, un garçon de douze ans au teint laiteux et aux cheveux blonds, enroule le filin de la grand-voile, tandis que Bernard, aussi foncé que son compagnon est pâle, la hisse jusqu'à la plus haute vergue. À la proue de l'*Étoile filante*, trois autres garçons poussent sur les montants d'un tourniquet géant afin de remonter l'ancre. Seule Elsie, la sœur jumelle d'Erwin, est exemptée de la manœuvre pour garder la petite Winnie de quatre ans hors du chemin des travailleurs. Les deux filles, enfermées dans la cabine du capitaine, jouent à prendre le thé, comme des dames de la haute société, une distraction qui plaît presque autant à l'aînée de douze ans qu'à la cadette. Accueilli à titre de passager, Aldebert, le conteur public rescapé d'un bateau pirate lors de leur dernière aventure*, agrémente

---

* Voir *Terra Incognita : Pirates à bâbord !*
  dans la collection Œil-de-chat

la scène d'une musique d'ambiance jouée à l'aide d'une lyre improvisée.

Sur le pont, l'équipage s'active.

— La corde est trop lâche! On recommence! annonce Jessica, la fière capitaine du navire. La voile redescend; Erwin défait son travail et reprend tout à zéro. Du haut du grand mât, Bernard, la vigie responsable des cordages en hauteur, ne se gêne pas pour faire part de son opinion sur la répétition fastidieuse de l'exercice.

— Tout à l'heure, c'était le minutage qui clochait et juste avant, l'alignement d'une chaîne! À ce rythme, nous serons forcés de travailler jusqu'à demain!

L'adolescente de quatorze ans est prompte à répliquer :

— Si vous travailliez aussi bien que vous râlez, nous aurions terminé depuis belle lurette! Encore une fois : manœuvre de départ précipité, phase un. Tous à vos postes!

Pour la sixième fois, les maillons qui retiennent l'ancre s'enroulent autour de l'essieu, les cordes filent dans leurs poulies et le navire passe de l'immobilité complète à la vitesse maximale en un bond. Chaque fois, le thé des deux demoiselles de la cabine se renverse.

Poussant le tourniquet du treuil comme le feraient des chevaux de trait, Miguel, Chou et Basile agrémentent leur corvée de paroles haletantes.

— Alors, Basile, demande Chou, un hyperactif aux cheveux noirs de jais et aux yeux bridés. Quand vas-tu nous refaire des paupiettes de pieuvre en mousseline ? J'en salive rien qu'à y penser ! Ça fait des siècles que tu ne nous en as pas servi !

— Je ne sais pas, répond laconiquement le garçon en pointant son long nez vers le sol, pour que la sueur qui dégouline de son front n'humecte pas ses lèvres et qu'il n'en goûte pas la saveur légèrement salée.

Miguel, un adolescent à la peau basanée et aux yeux moqueurs, répond à sa place.

— Chou, tu n'as pas encore remarqué que notre cuisinier prépare ce plat uniquement lorsqu'il nage dans le bonheur ? La dernière fois, c'était pour son anniversaire; celle d'avant coïncide avec la découverte d'une batterie de cuisine dans un baril à la dérive!

Basile rougit, à la fois flatté et embarrassé que l'équipage ait pu découvrir sa manie d'exprimer sa joie avec de la mousseline! À chaque humeur, sa recette : les roulés au jambon pour le désespoir, le gratin dauphinois pour tromper l'ennui et le ragoût pour soigner un rhume. Si l'on croit que l'artiste extériorise ses émotions grâce à son médium, le grand maigre de seize ans ne cuisine pas, il pratique l'art comestible.

Après trois autres exercices, l'ancre est solidement enroulée, la voile déployée à la seconde près, et le cordage est maintenu au degré de tension voulu. Satisfaite, Jessica donne congé à son équipe exténuée. Miguel, en bras droit consciencieux, rejoint sa grande amie pour l'informer du moral des troupes.

— C'est bien de se préparer pour une éventuelle attaque, mais ne crois-tu pas que tu en fais un peu trop?

— Si les entraînements dépendaient

uniquement du bon vouloir de l'équipage, nous passerions nos journées à nous prélasser et l'*Étoile filante* dériverait jusqu'au premier tourbillon venu !

— Et si je n'étais pas là pour te rappeler que ton équipage est constitué d'êtres humains, tu te retrouverais avec une mutinerie sur les bras !

Jessica ne peut s'empêcher de sourire devant le caractère véridique de la boutade. Ils se complètent bien, tous les deux : elle, la capitaine concentrée sur la performance, et lui, son second, dévoué au bien-être de tous.

— Bon, j'ai compris ! Demain matin : repos ! lance-t-elle. Es-tu satisfait ?

Miguel répond par un salut militaire plus espiègle que respectueux et rejoint les autres sous le pont.

***

Confortablement installé dans le nid-de-pie, Bernard étire ses muscles durement sollicités lors des manœuvres de la journée. Les mains derrière la tête, il contemple distraitement la mer, à l'affût de toute anormalité. Pourtant, ce n'est pas tant la forme ni la couleur des nuages à l'horizon qui font que les poils de ses bras noirs se hérissent soudainement, mais plutôt une odeur particulière dans l'air. Il hume, les yeux fermés, et identifie le danger, bien avant qu'Erwin, navigateur et météorologue du navire, consulte son baromètre. Aucun doute : la nuit s'annonce mouvementée.

Chapitre 2

Au cœur de la tempête

Le mauvais temps frappe l'*Étoile filante* quelques heures plus tard. Grâce à l'avertissement précoce de la vigie, le bateau est paré contre la tempête et prêt à affronter l'épreuve : des câbles et des rivets retiennent la moindre pièce d'équipement; les voiles dorment dans leurs enveloppes et l'équipe de nuit veille. L'ampleur de l'orage prend tout de même l'équipage par surprise. Des éclairs fulgurants déchirent le ciel sombre toutes les demi-secondes et le roulis rend les manœuvres difficiles. Attachée à la barre, Jessica utilise toute son énergie pour tourner le léger navire face à la vague. L'épais rideau de pluie et les vents forts ne lui laissent que quelques instants à peine entre chaque lame pour corriger la direction du navire. Désespérément, la jeune fille se cramponne au gouvernail, qui ne répond qu'une fois sur deux.

Au bout de trois heures de tourmente, la capitaine ne tient plus debout que par la force de sa volonté. Exténuée, la jeune fille éprouve un énorme soulagement en voyant la silhouette familière de Miguel grimper les escaliers menant au gaillard d'arrière. Le garçon, à quatre pattes, monte une seule marche par roulis; il attend patiemment, avant de lever la jambe, que le mouvement de balancier du bateau lui offre un plancher à l'horizontale. Attachée à sa taille, une solide corde le relie au grand mât, dans l'éventualité d'une perte d'équilibre ou d'une vague trop violente. Lorsqu'il arrive enfin à la barre, Jessica et lui doivent s'égosiller pour se faire entendre malgré les hurlements du vent.

— À mon tour! annonce Miguel sur un ton sans réplique.

À sa grande surprise, Jessica lui laisse la barre sans sourciller, preuve indéniable de son épuisement! Pendant qu'ils échangent leurs ancrages, celle-ci s'enquiert de l'état du navire.

— Il tient le coup! La coque se tord légèrement, mais Chou et Bernard la renforcent de montants transversaux! répond le garçon.

Miguel est maintenant arrimé à la barre et s'affaire à installer sa propre corde à la taille de Jessica, lorsqu'un craquement assourdissant les fait sursauter : la foudre a frappé le haut du mât de plein fouet! Celui-ci se fend en son sommet, puis s'écrase, emportant haubans et nid-de-pie sur le pont. Au même moment, plusieurs mètres au-dessous, la porte de la cale s'ouvre, perçant la nuit d'encre d'un rectangle lumineux. Erwin, dont l'estomac à peine marin ne supporte plus l'extrême tangage de cette nuit orageuse, a décidé de prendre quelques bouffées d'air frais malgré la pluie, le vent, et sa peur. Le haut du mât se dirige droit vers sa tête et la clameur de l'orage rend toute tentative d'avertissement inutile.

Mue par une soudaine poussée d'adrénaline, Jessica s'élance sans hésitation vers le pont. Elle plonge sur la trappe ouverte avec la ferme intention d'y entraîner Erwin et de tout refermer derrière eux. Au même moment, le bateau arrive au sommet d'une vague, bascule et pique du nez. Le changement de cap dévie la trajectoire d'une partie du grand mât, qui s'effondre à deux mètres du garçon. Le tronc de bois glisse à tribord, balayant tout sur son passage. Jessica se retrouve coincée entre la rambarde et le mât. Prisonnière, la jeune fille tente de sauter pour éviter la catastrophe, mais, soulevés par un énorme ressac, mât et marins sont emportés vers la mer déchaînée. Erwin tend la main en un geste désespéré pour garder sa capitaine sur le navire. Il attrape sa cheville de justesse, toutefois, en raison de son poids d'enfant de douze ans, il ne réussit pas à retenir l'adolescente ni à freiner leur course. Avant même que l'*Étoile filante* ait terminé sa descente, Jessica et Erwin se retrouvent plongés dans l'eau houleuse et impitoyable.

Miguel achève de détacher le deuxième des trois nœuds qui le rattachent à la barre, lorsqu'il voit ses deux amis passer par-dessus bord. De toutes ses forces, il tire sur la corde, mais celle-ci le maintient, impuissant, sur le gaillard d'arrière : aucun moyen de leur porter secours. Une vague vertigineuse se dresse tout à coup à la poupe du navire. L'adolescent s'agrippe de son mieux et, hurlant de rage, se concentre sur la manœuvre afin de garder le bateau à flot. Il lui faut oublier Jessica et Erwin pour le moment; il tient la vie de six autres personnes entre ses mains.

Chapitre 3

Elsie s'impose

Au petit matin, le soleil se reflète sur l'eau calme de la Grande Eau. Au centre de cet océan bleu et plat vogue une coque mi-démâtée, à laquelle il manque une rambarde à tribord. Winnie sort la première de la cale et gambade jusqu'à Miguel, inerte. Toujours attaché à la barre, l'adolescent s'est évanoui de fatigue dès que les vagues se sont calmées. La petite lui caresse les cheveux, comme le ferait une maman, et appelle Bernard de l'autre main pour qu'il l'aide à défaire les nœuds qui retiennent le second lieutenant.

Elsie monte la dernière sur le pont. Elle plisse ses yeux bleus, dont les rétines sont habituées à la pénombre de la cale. La lumière du jour confirme ses soupçons de la veille : son frère jumeau n'est plus à bord.

Dans un mélange d'espoir et de crainte, elle marche, hébétée, jusqu'à la cabine de la capitaine. Elle ne s'attend pas vraiment à y trouver Erwin, mais constate avec stupéfaction que Jessica n'y est pas elle non plus. Ils auraient donc passé tous les deux par-dessus bord... La jolie blonde s'effondre sur le plancher. Des larmes coulent en rigoles sur ses jupons froissés, tandis que des sanglots secouent son corps tout entier.

Quand Bernard arrive sur le gaillard d'arrière, Miguel ouvre les yeux et murmure :

— J'étais attaché... ils sont passés par-dessus... je n'ai pas...

Plus de doute possible : ils ont perdu deux des leurs. Le reste de l'équipage reçoit durement la nouvelle. Chacun, prostré dans son coin, refuse d'accepter la perte de leurs amis. Une fois ses larmes taries, Elsie sort de la cabine, mue par une force inhabituelle : un mélange d'instinct de survie et de détermination. Courageusement, elle prend le commandement du navire sur ses délicates épaules, le temps d'accorder quelques heures de repos au second.

— Chou et Aldebert, portez Miguel jusqu'à sa couchette. Bernard, grimpe aussi haut que tu le peux sur ce qui reste du mât et repère une île ! Basile, tournée de chocolat chaud pour tout le monde, nous allons avoir besoin d'énergie ! Il faut réparer la rambarde, choisir un cap et imaginer un moyen de tendre les voiles malgré les dégâts. Des questions ?

— Mais... Jessica... Erwin ? bafouille Chou, si surpris par la transformation de la douce Elsie en chef autoritaire qu'il en perd sa volubilité légendaire.

La blonde ferme les yeux et touche son cœur de ses deux mains.

— Erwin est vivant. J'en suis certaine. Jessica est sûrement avec lui, alors nous n'avons rien à craindre. Ils se débrouilleront bien en attendant que nous les retrouvions. Rester sur une semi-épave n'arrangera rien ! Au travail !

Elsie lance ces derniers mots comme un ordre, mais elle n'ose pas vérifier l'effet de ses paroles sur l'équipage. La jeune fille tourne les talons et s'enferme de nouveau dans la cabine du capitaine. Elle s'assoit sur le lit et, nerveusement, elle éclate de rire en pensant à sa grande amie, qui semble avoir tant de facilité à donner des ordres.

— Je crois que tu aurais été fière de moi ! À présent, si je peux arrêter de trembler, je vais prendre ta place à la barre et tenter de veiller sur ton bateau jusqu'à ton retour !

Chapitre 4

Naufragée

Le corps de Jessica gît sur le sable chaud de l'une des plages d'une grande île. Le soleil a déjà séché son pantalon court, sa chemise trop grande et ses longs cheveux châtains. Seuls sa position et quelques lambeaux d'algues abandonnés autour de ses épaules témoignent de son difficile périple. À côté d'elle se trouve une partie du mât, ainsi que des traces de pas, trop petites pour être celles d'un adulte. Jessica redresse la tête, laissant une empreinte parfaite de son profil sur le sol. S'appuyant sur ses coudes, la jeune fille regarde autour d'elle; ses yeux balaient les environs comme dans un rêve. Elle s'attarde d'abord au reste du mât, auquel Erwin et elle se sont accrochés désespérément durant la tempête. Elle remarque ensuite une pente escarpée, garnie de quelques arbres feuillus et couverte d'une végétation plus foncée, différente de celle à laquelle elle est habituée.

Afin de mieux se repérer, elle escalade le flanc de la colline jusqu'au sommet et y aperçoit Erwin. Soulagée de ne pas être la seule rescapée de cette aventure, elle court dans sa direction. En arrivant près de lui, elle découvre un garçon hébété d'étonnement. Ses bras pendent inutilement le long de son corps et sa peau reluit de sueurs. En dirigeant son regard vers la plaine, Jessica comprend vite sa torpeur : un spectacle stupéfiant se déroule devant leurs yeux. De l'autre côté de la colline s'étend une vaste plaine. Sur le terrain plat, de petites pyramides émergent graduellement à travers l'herbe. Le temps de compter jusqu'à trois et elles atteignent la taille d'Erwin. Jusqu'à dix, elles dépassent Jessica d'une bonne tête.

Les deux enfants réalisent alors qu'il s'agit de tentes. Celles-ci poussent sur le gazon, comme des végétaux à croissance ultra rapide. Ces larges abris de toile, translucides à leur sortie de terre, deviennent de plus en plus opaques en grandissant, sans jamais prendre une teinte tout à fait tangible. Des fanions guerriers se déplient au sommet de chaque pique et

claquent dans un vent imaginaire comme
s'ils obéissaient à des éléments qui leur
sont propres. Une fois cette forêt de tentes
installée, des hommes verdâtres, vêtus

d'uniformes, en sortent. Malgré leur allure presque humaine, leurs pieds flottent à quelques centimètres du sol, ce qui laisse peu de doute sur leur nature spectrale. En quelques minutes seulement, la vierge plaine se retrouve occupée par un macabre campement militaire.

— Il n'y a qu'une seule explication, soupire Erwin, au comble du découragement : nous sommes morts !

Chapitre 5

Terre!

Après plusieurs heures de travail acharné, le gréement est paré à la manœuvre. Il suffit désormais de trouver un cap vers lequel se diriger.

— Alors, Bernard ? demande Elsie, toujours au poste de capitaine.

La vigie, privée de son nid-de-pie, scrute l'horizon à l'aide d'une longue-vue, précairement perchée sur ce qui reste du grand mât. Bernard montre un point légèrement à gauche du soleil.

— Je dirais par là !

— As-tu trouvé une île ?

— Non, mais j'ai aperçu deux oiseaux volant dans cette direction, c'est tout comme !

Elsie, acceptant l'explication, fait signe à Chou et à Aldebert — recrutés pour cause de manque de personnel — de tirer sur leurs cordages. Deux voiles triangulaires s'élèvent de chaque côté du demi-mât. Leurs extrémités inférieures sont attachées au plancher du bateau, autour des taquets habituellement réservés aux cordes d'amarrage. Lorsque le vent s'y engouffre, les toiles trop grandes pour leurs attaches gonflent à bâbord et à tribord, ce qui donne à l'embarcation rapiécée des allures de rimenvelle, cet oiseau blanc aux ailes si larges qu'il lui est impossible de se poser une fois l'âge adulte atteint, si bien qu'il doit dormir et manger en planant.

Miguel monte enfin sur le pont et constate avec stupéfaction le travail accompli par ses amis. Passant une main distraite dans ses cheveux noirs encore plus ébouriffés qu'à l'habitude, il admire le résultat : une échelle de corde remplace la rambarde, les voiles, même peu élégantes, remplissent néanmoins leur fonction locomotrice, et une terre se profile déjà à l'horizon !

— Je devrais faire la grasse matinée plus souvent ! s'exclame le garçon en s'approchant d'Elsie.

— L'île était assez proche de notre position, répond-elle humblement. Avec un peu de chance, nous y retrouverons Erwin et Jessica.

Le visage de Miguel s'assombrit à la mention de ses amis disparus.

— Chou m'a raconté ce que tu as dit à l'équipage. Est-ce vrai? S'il était arrivé quelque chose à ton frère, le saurais-tu vraiment?

— C'est ainsi, être jumeau! répond-elle en opinant du bonnet.

En fait, Elsie l'ignore. Elle s'est toujours imaginé qu'elle sentirait un grand vide si jamais Erwin mourait avant elle. Le lien qui les unit est si étroit et si fort qu'elle croit que son cœur se déchirerait dans sa poitrine; mais ce dernier étant toujours intact, elle suppose donc que son frère est encore en vie. Si son espoir permet aux autres d'y croire aussi, elle ne va certainement pas tout gâcher en exprimant ses doutes.

Bernard s'approche d'eux et lance la longue-vue à Miguel.

— Regarde vers la droite, en haut du promontoire rocheux.

Miguel porte son œil à l'instrument et ajuste les distances focales jusqu'à apercevoir une construction de roches superposées. Il balaie la structure sur l'horizontal pour découvrir une muraille, et, derrière celle-ci, un château. L'île est donc habitée... et par une population assez avancée pour construire des structures sophistiquées. Dans ce cas, ce sera le premier contact des anciens naufragés avec d'autres civilisations, si l'on exclut leurs récents démêlés avec le terrible pirate Squale, auquel il est impensable d'attribuer le terme « civilisé ». Miguel aurait préféré avoir Jessica à ses côtés pour affronter une telle épreuve. Au lieu de s'inquiéter comme lui du choc culturel de cette rencontre inopinée, sa fougueuse amie aurait anticipé les effets de cet heureux hasard avec enthousiasme, en pensant plutôt à ce qu'il peut apporter à son équipage sur les plans de la richesse culturelle et de l'expérience.

Une chose paraît évidente : si Jessica et Erwin se sont échoués sur cette île, le château s'avère le meilleur endroit où les trouver. Aussi pourront-ils obtenir de l'aide des occupants pour réparer le mât.

— Direction, la falaise ! Peut-être découvrirons-nous un port où accoster après l'avoir contournée.

Les amis continuent fébrilement les manœuvres en rêvant de la vie de château. Elsie s'imagine déjà valsant au bras d'un duc, alors que Bernard et Chou assaillent Aldebert de questions sur le code des mousquetaires. Fendant les vagues tant bien que mal, l'*Étoile filante* conduit son équipage vers les plages qui bordent le promontoire occupé. Chacun trépigne d'impatience sans se douter un seul instant de l'accueil qui les attend.

Chapitre 6

Le camp fantôme

— Aïe! Que fais-tu? demande Erwin en se frottant le bras.

— Je t'ai pincé la peau, répond Jessica le plus simplement du monde. Tu ressens une douleur, donc, nous ne sommes ni morts ni endormis!

— Et ça, qu'est-ce que c'est, alors? demande le garçon en désignant le camp fantôme qui s'étale à leurs pieds.

— De toute évidence, nous vivons une aventure extraordinaire! répond la capitaine avec un sourire ravi. Viens-tu?

Sans attendre la réponse, la jeune fille se dirige vers la tente la plus proche.

— Où as-tu la tête? Il est hors de question que je mette les pieds sur cette plaine hantée!

— D'accord! Alors, à tout à l'heure!

Jessica lui envoie un signe de la main en guise d'au revoir, avec la certitude que son compagnon lui emboîtera le pas dès que sa hantise d'être seul en territoire hostile prendra le dessus sur sa peur de l'inconnu. Comme de fait, lorsqu'elle sort de la lisière d'arbres, le garçon se tient juste derrière elle.

— Halte-là! ordonne un garde roux en uniforme.

— Bonjour! réplique l'adolescente sans même sourciller quand un oiseau traverse son interlocuteur, de l'épaule à l'oreille.

La réaction de la jeune fille laisse le fantôme perplexe. C'est la première fois en cent ans qu'un être humain s'approche du camp et, en dehors de la première phrase d'usage, il ignore le protocole à suivre. Après un silence inconfortable, celui-ci interpelle un adjudant, sous le regard de plus en plus diverti de Jessica et celui de plus en plus terrifié d'Erwin.

Le nouvel arrivant se gratte méthodiquement une cicatrice à l'oreille droite.

— Je m'en occupe, soldat Barnabé, répond le sous-officier.

Puis, il bombe le torse et toise Jessica d'un air soupçonneux.

— Comment avez-vous déjoué la barrière invisible ? Aucun habitant de l'île ne peut traverser la plaine avant la bataille.

— Je ne suis pas d'ici, peut-être que les règles ne s'appliquent pas !

— Qui êtes-vous, alors ?

— Jessica, capitaine de l'*Étoile filante*, exploratrice des mers, pourfendeuse de pirates et naufragée pour la deuxième fois en moins de douze ans* !

L'adjudant, en attente d'une réponse similaire, se tourne ensuite vers Erwin et le surprend à passer son index à travers la cape du jeune Barnabé pour en vérifier la consistance. Intimidé par l'attention soudaine qu'on lui porte, le garçon retire sa main pour la replacer maladroitement dans sa poche. Jessica le sort de cette situation embarrassante.

— C'est mon navigateur et quiconque lui fait le moindre mal aura affaire à moi !

---

* Voir *Terra Incognita : Les Naufragés de Chélon* dans la collection Œil-de-chat

— Foi de Siméon! Elle a du cran, la petite! Que vas-tu faire? Nous tuer?

La boutade de l'adjudant fait rire plusieurs fantômes attirés par la présence inhabituelle de vivants dans leur camp. Jessica elle-même ne peut s'empêcher de sourire. Sympathiques, ces fantômes!

— Amenez-moi à votre chef, j'ai quelques questions à lui poser! demande-t-elle d'un ton autoritaire, sachant qu'elle obtiendra plus de réponses si elle s'adresse directement à la personne responsable du camp.

Erwin, de nouveau caché dans le dos de sa capitaine, hoche vigoureusement la tête. L'idée de s'aventurer plus profondément dans le camp des revenants ne l'enthousiasme guère. L'adjudant reprend la parole en illustrant ses propos de gestes théâtraux.

— Je ne ferais pas cela à votre place! Notre chef est un géant de gabarit imposant dont les yeux de feu vous paralysent sur place. Il est terrible! Vous voyez le vieil Henry, auquel il manque une jambe, là-bas? C'est le caporal qui la lui a coupée d'un coup d'épée parce qu'il avait mal ciré ses souliers.

Erwin tremble de peur, comme s'il risquaits de subir lui-même le châtiment. L'orgueil de Jessica l'empêche de reculer. Sans attendre d'escorte, elle fend le groupe de soldats. La jeune fille identifie facilement la tente du commandant : elle est beaucoup plus grande que les autres, et les fioritures brodées sur l'épaisse toile indiquent bien la richesse de son propriétaire. Un pan de tissu, haut comme deux hommes, lui sert de porte. Jessica attrape Erwin par le poignet et entre dans la tente. Les deux naufragés se retrouvent face au dossier interminable d'une large chaise. Pendant quelques instants, rien ne bouge dans l'unique pièce. Pourtant, la capitaine devine une silhouette vautrée dans le fauteuil. Jessica se racle la gorge pour attirer l'attention du terrible chef des fantômes. Une tête hirsute se détache du fauteuil.

Chapitre 7

Capturés

L'équipage a beau longer la berge d'est en ouest, il n'existe aucun quai pour mouiller l'ancre, pas même un petit port de pêche. Ils ont pourtant aperçu un village au loin et les nombreuses cheminées fumantes démontrent clairement que les maisons sont habitées. Miguel choisit une crique qui leur permet de laisser le bateau à l'abri et demande à tous de mettre le pied à terre.

— Nous allons établir un campement de manière à ne pas quitter l'*Étoile filante* des yeux. Une fois les préparatifs terminés, je propose que...

— C'est moi qui propose, ici, jeune homme !

Ces paroles, prononcées par une voix aux accents pointus, leur proviennent du haut de la falaise.

— Au nom de Christophe, le quatrième, ajoute l'inconnu, je vous arrête !

Aussitôt, de larges filets tombent sur les sept amis. Des fantassins armés de courtes épées sortent des buissons et s'avancent pour les neutraliser. Bernard, le plus expérimenté en matière de cordages, tente d'identifier le motif du tissage et de repérer la corde maîtresse qui lui permettra rapidement de défaire le tout. Les tentatives des six autres pour se libérer des filets ne font qu'empirer les choses. Seul Chou réussit à se faufiler sous les mailles, mais trois gardes arrivant en renfort du haut des rochers ont tôt fait de le rattraper. Le chef de la patrouille fait claquer ses doigts gantés et des couvertures sont jetées sur les têtes des prisonniers. Portés comme des sacs de farine, ils sont entassés à l'arrière d'une charrette. S'ensuit une longue promenade toute en cahots et en meurtrissures, dans le noir le plus complet. Lorsque les couvertures sont enfin retirées, l'équipage est jeté dans un cachot formé de trois épais murs de pierre et fermé par de hautes barres de fer.

La porte se referme derrière eux et les gardes disparaissent sans leur fournir d'explications sur le sort qui les attend.

Seul un soldat trop vieux pour être menaçant reste derrière en guise de geôlier. Aldebert, qui vient à peine de terminer une longue peine dans une prison pirate, s'étend sur la paillasse comme un habitué.

— J'ai un vague sentiment de déjà vu! s'exclame-t-il en fermant les yeux.

Dans le but de se rendre compte des activités villageoises qu'ils ont perçues durant le trajet, Chou et Bernard se bousculent à la minuscule fenêtre avec vue sur le caniveau. Elsie console Winnie, effrayée par la brutalité des soldats. Prostrée dans les bras de la jeune fille, la petite blonde fixe ses souliers sans émettre le moindre son. Basile, toujours aussi pragmatique, étudie, dans l'éventualité où l'on oublierait de les nourrir, les possibilités culinaires qu'offre la vermine présente sur les lieux.

Miguel, pour sa part, s'acharne vainement sur les barreaux de leur prison, manifestant ainsi sa frustration.

— Épargne ton énergie, gamin, ils viendront vous chercher avant la fin de la journée pour décider de votre sort.

L'activité dans la cellule cesse immédiatement et chacun tend l'oreille pour entendre la voix du vieux soldat.

— Vous passerez devant le caucus décisionnel... ou du moins, ce qu'il en reste.

— Pouvez-vous nous expliquer le rôle de ce caucus? demande Elsie. Nous ne sommes pas d'ici!

— Alors, dans ce cas, répond le geôlier, je dois vous raconter une histoire qui a commencé sur un champ de bataille, il y a cent ans...

Chapitre 8

Guerre d'antan

En s'arrachant de son fauteuil, le caporal pousse un cri d'épouvante à la vue de ses deux invités. À l'extérieur, Jessica entend fuser les rires des autres fantômes : l'adjudant l'a bien fait marcher avec ses histoires de chef cruel et terrifiant ! Conscient d'être la risée de ses troupes, le commandant referme le pan de la porte d'un geste agressif. Il reprend un peu de sa contenance et, en bon hôte distingué, offre poliment des chaises aux deux jeunes gens.

— Je suis Philippe de MontJalbac, caporal de ce bataillon, déclare-t-il pour se présenter. Pardonnez ce sursaut de surprise, il y a fort longtemps que je n'avais pas vu d'humains vivants.

Il s'installe sur le trône qu'il occupait précédemment et renoue à la hâte ses cheveux en une queue de cheval passée de mode.

— Des « humains », des « vivants », alors, c'est vrai : vous êtes des fantômes, n'est-ce pas? demande Erwin, chez qui la curiosité scientifique fait office de courage.

— En effet, voilà une centaine d'années que mon régiment et moi hantons cette plaine. Par ma faute, soupire-t-il.

— Racontez-nous! J'adore les récits de faits d'armes, l'encourage Jessica.

Il dévisage un peu ses invités pour jauger leur valeur, hausse les épaules comme un homme qui n'a rien à perdre, puis commence son récit.

— Le pays était en guerre depuis deux décennies...

***

— Une histoire de succession; le roi de l'île est mort sans laisser de fils, et ses deux neveux, Christophe et Octavien, ont tous deux revendiqué le trône, explique le geôlier. Les prétendants étaient d'aptitudes égales et l'armée elle-même s'est scindée en deux, selon les préférences des commandants de chaque cohorte de soldats. Au fil des batailles, la guerre avait appauvri le pays et privé de nombreuses familles de leurs fils. Les deux cousins ont décidé de se mesurer une fois pour toutes dans un affrontement décisif sur la plus grande plaine de l'île. Chacun eut trois jours pour préparer sa stratégie; l'issue du combat désignerait le vainqueur. Trois heures durant, le combat fit rage. Chaque opposant avait bien planifié son coup, appelant des troupes fraîches à intervalles réguliers pour relever les combattants fatigués.

***

— C'était mon premier mandat, acheté à haut prix par ma famille dès que je suis sorti de l'Académie militaire. Tous mes cours théoriques et mes certificats se sont avérés insuffisants pour calmer ma terrible angoisse lors des premiers coups de canon. Jadis, quand mon père me racontait ses exploits militaires, tout semblait si héroïque! Mais la guerre n'offre rien de bon! Elle n'est que boue, cris, tonnerre et mort. J'écoutais la clameur du combat depuis des heures, et chaque bruit me pénétrait l'âme comme une lance! Lorsque le clairon sonna pour appeler mon régiment au combat, tout mon corps se mit à trembler.

— À la quatrième heure, un bataillon n'a pas répondu à l'appel. Le manquement de cette seule cohorte de fantassins a causé l'effondrement de toute la stratégie de l'ennemi. Notre armée a réussi une percée et massacré la leur, y compris le bataillon resté derrière.

— Le peuple devait être content, interrompt Bernard : une victoire après tant d'années !

— Toute la population a fêté trois jours durant ! répond le vieux soldat. Même les partisans d'Octavien ont accepté la défaite pour se joindre aux festivités, tant ils étaient heureux d'être enfin en paix. C'est alors que le roi, Christophe 1er, a commis une erreur monumentale qui allait à tout jamais changer le fonctionnement du royaume : croyant que l'euphorie des paysans était due à sa réussite militaire, il a annoncé la création d'une flotte marine qui parcourrait la Grande Eau à la recherche de nouvelles îles à conquérir. Or, le peuple célébrait plutôt la fin de cette guerre qui emportait les soldats et ruinait les labours. À cette proclamation, la foule en liesse s'est transformée en cohue révolutionnaire. Le peuple a envahi le château, armé de pelles et de fourches pour demander la destruction de tout équipement nautique et militaire. Les cris résonnaient entre chaque meurtrière. « Mort au tyran ! » réclamait le peuple. Comme ce dernier tenait à sa peau, il obtempéra pour la marine et créa le caucus décisionnel. Depuis, tous les monarques s'en remettent au peuple pour diriger le pays, et l'armée a été remplacée par des patrouilles de civils.

— Une occasion pour les gens de décider pour eux-mêmes ! C'est fantastique ! interrompt Chou. Moi, j'aime donner mon avis ! Comme quand Miguel demande à main levée si l'on préfère laver le pont ou rouler les voiles ! Moi, dans ces cas-là, je choisis toujours le pont, parce qu'on peut faire de la mousse et...

— Au début, le peuple était satisfait, reprend le geôlier. Mais avec le temps...

Il laisse volontairement sa phrase en suspens pour organiser ses pensées. Avant qu'il puisse continuer, la lourde porte de chêne menant vers l'extérieur s'ouvre et la troupe de soldats entre. En quelques secondes, l'équipage est lié par les chevilles et de nouveau jeté dans une charrette.

Chapitre 9

Jessica prend un disciple

Pendant ce temps, de l'autre côté de l'île, le caporal termine son explication :

— Depuis la défaite d'Octavien, dont notre armée défendait la cause, le régiment et moi sommes condamnés pour l'éternité à revivre cette bataille à pareille date chaque année. Nous installons le camp trois jours à l'avance, puis revivons l'événement : l'attente, le clairon, mon incapacité à y répondre, tout, jusqu'à la défaite. Durant ces trois jours, aucun habitant de l'île ne peut pénétrer de ce côté-ci de la plaine; vous êtes nos premiers visiteurs en cent ans.

— Donc, si je comprends bien, chaque année depuis près d'un siècle, un clairon vous appelle pour partir à l'assaut, vous ne sortez pas, et c'est reparti jusqu'à la prochaine fois ! résume Jessica.

Le fantôme hoche tristement la tête. La description de la terrible malédiction qui pèse sur lui et qui empoisonne son existence depuis cent ans est tout à fait juste.

— Et votre ennemi, lui, revient-il?

— Oui et non... La première année, Christophe 1er, qui était superstitieux, a ordonné à ses troupes de monter la garde. Avec le temps, cette surveillance est devenue coutume; d'un roi à l'autre, la tradition se perpétue. Chaque fois, mon armée et la leur s'observent trois jours durant. Pour une raison que j'ignore, aucune des deux armées ne peut passer à l'attaque avant l'appel du clairon. Et comme je ne mène jamais la charge, l'ennemi tourne les talons sans avoir à lever le petit doigt.

— Vos hommes n'ont-ils jamais essayé de charger sans vous? demande Erwin, passionné par le récit.

— Il y a bien une année où le grand avec une oreille fendue a tenté de rallier les troupes, mais ils ont été incapables de sortir du camp. Celui auquel il manque une jambe a même proposé de m'amener de force, mais ils ne peuvent m'agripper...

— Le grand avec une oreille fendue? Celui auquel il manque une jambe?

Ignorez-vous comment s'appellent les hommes qui servent sous votre commandement ? demande Jessica.

— À quoi bon ? Ce ne sont que des soldats ! Des pions à déplacer sur une carte stratégique, répond le caporal, surpris de la réprimande.

Jessica reste pantoise. Qu'un chef soit froussard, soit ! Mais qu'il néglige ses troupes au point de ne pas connaître le nom de ses soldats plonge l'adolescente dans la plus grande consternation. Elle n'est pas, elle-même, comme le lui rappelle souvent Miguel, la capitaine la plus attentionnée de la Grande Eau, mais elle connaît la personnalité, le passé et les travers de chacun des membres de son équipage. Puisque rien n'enthousiasme plus la jeune fille qu'un défi, celle-ci décide sur-le-champ de transformer ce lâche caporal en un meneur digne de ce nom. En trois jours, ni plus ni moins.

Sans donner d'explication à son nouvel élève, Jessica se lève de sa chaise, s'empare d'encre et de papier, qu'elle donne au passage à Erwin, et se dirige vers la sortie. Avant de franchir le seuil, elle se tourne

vers le caporal et l'invite à la suivre. Docile
malgré son incompréhension, celui-ci
flotte derrière elle.

— Je veux que vous rencontriez tous les
soldats du bataillon l'un après l'autre.

Vous leur demanderez leur nom, leur expérience, leurs habiletés, les raisons de leur enrôlement dans l'armée, bref tout ce qui pourrait nous être utile. Interdiction de vous installer dans la grande tente pour ces entretiens! Les questions doivent être posées en terrain neutre.

L'adolescente toise le fantôme de ses yeux verts.

— À mon retour, toutes ces informations doivent se retrouver gravées dans votre tête translucide. Compris?

Le caporal et Erwin blêmissent tous les deux; le premier devant l'ampleur de la tâche, le second à l'idée d'être laissé seul au milieu de tous ces fantômes.

— Où vas-tu, Jessica?

— En patrouille, chercher d'autres renseignements!

Au pas de course, elle dévale la colline en direction du camp ennemi.

Chapitre 10

Le caucus décisionnel

L'équipage de l'*Étoile filante* se retrouve entassé dans une charrette et promené à travers les rues du village qui jouxtent le château, et ce, pour la seconde fois depuis leur arrivée. Plusieurs habitants se retournent sur leur passage, intrigués de voir ces étrangers venus de la Grande Eau. Miguel et ses amis, non moins curieux malgré l'angoisse d'un futur incertain, s'émerveillent de la moindre nouveauté.

— Je me demande ce qu'ils utilisent pour faire tenir la pierre des murs ! s'enquiert Chou. J'ai construit des habitations avec du bois seulement; ce matériau doit être solide comme un rocher ! Dommage qu'on ne puisse pas s'en servir pour le bateau.

Basile hume l'air et décrit à Winnie ce que mangeront les habitants de chaque chaumière pour le souper. La jeune fille se délecte des paroles du cuisinier.

— Civet aux tomates pour le forgeron, potage de navet chez l'apothicaire... et lessive de chaussettes sales chez le crieur public !

Elsie montre du doigt un enclos dans lequel paissent de drôles de ruminants poilus, dont la tête semble trop petite pour leur corps.

— Ce qu'ils sont mignons ! Quelqu'un sait-il de quel animal il s'agit ?

— Erwin l'aurait su, soupire Bernard.

Chacun reprend sa place sur le plancher de la charrette et le trajet se poursuit en silence. La mention du nom de leur ami oblige chacun à considérer la situation. Deux des leurs sont perdus en mer et eux sont à la merci d'une nation peu accueillante. Instinctivement, ils se serrent un peu plus les uns contre les autres, à la recherche d'un peu de réconfort.

Le véhicule s'arrête devant un grand bâtiment ovale. De la pointe de leurs épées, les gardes ordonnent aux prisonniers d'entrer. Miguel considère leurs possibilités de fuite, mais prend vite conscience de

la futilité de telles pensées. Même sans l'entrave des chaînes attachées à leurs chevilles, ils seraient rapidement rattrapés dans les méandres des rues inconnues. Les jeunes amis se retrouvent sur une scène ronde entourée d'estrades, assez vastes pour contenir des centaines de personnes. Pourtant, seule une poignée de badauds y siège; la plupart d'entre eux semblent s'ennuyer profondément. Devant le mur opposé à l'entrée, un garçon d'une douzaine d'années préside l'assemblée vide. Si ses cheveux frisés et ses joues poupines lui donnent des airs d'ange, sa couronne et son sceptre laissent peu de doutes quant à son identité.

Avant que Miguel ait pu l'en empêcher, Bernard s'avance, au comble de la colère.

— Est-ce vous, le chef, ici ? Vous pouvez dire à tous ces demeurés de nous libérer du trou à rat dans lequel ils nous ont jetés ! Nous ne sommes pas des criminels !

Le pommeau d'une épée vient s'abattre sur la tête du garçon et l'assomme net.

— Vous parlerez seulement lorsque le roi Christophe IV vous en donnera la permission.

Le roi lève son sceptre et annonce, d'une voix trop sérieuse pour son âge :

— Comme le veut la coutume, l'un d'entre vous peut maintenant prendre la parole pour convaincre le caucus de vos bonnes intentions.

Alors que Miguel et Aldebert s'interrogent mutuellement du regard afin de savoir lequel des deux sera le plus habile à convaincre l'assemblée, Elsie les devance. Bien qu'elle soit sale et décoiffée par les longues heures d'attente dans le cachot, elle s'adresse au roi avec la prestance et la grâce d'une grande dame.

— Nous ne sommes que des naufragés rassemblés par une destinée fortuite, sire.

Sur notre navire, nous parcourons les mers à la recherche de nos parents. Victimes de la tempête, nous avons accosté sur votre île dans l'espoir d'y retrouver deux des nôtres, ainsi qu'un mât de rechange pour notre vaisseau. Nous ne sommes ni des voleurs ni des mendiants, seulement de pauvres orphelins qui espèrent trouver ici un coin de plage hospitalier pour vaquer à nos occupations.

Elle termine sur une gracieuse révérence, alors que les yeux du monarque s'emplissent de larmes et de compassion. Lorsqu'on porte le titre de roi à un si jeune âge, on ne peut qu'être sensible au sort des orphelins.

— Bien joué, Elsie, lui chuchote Miguel à l'oreille. Il est visiblement ému ! Nous serons libres de repartir avant que le soleil ait disparu à l'horizon.

À la grande surprise de l'adolescent, quand Christophe IV reprend la parole, ce n'est pas pour annoncer sa décision.

— Votre sort sera décidé par vote populaire à deux heures dix. Cas suivant : tartes ou gâteaux pour le pique-nique commémoratif. J'invite le pâtissier du village à parler.

Et sans plus de cérémonie, les naufragés sont renvoyés au cachot.

Chapitre 11

Espionnage militaire

Jessica commence par une course; elle réfléchit mieux lorsque son corps est en mouvement. Il y a beaucoup à faire et peu de temps pour y arriver! Il faut étudier le terrain, dénombrer l'ennemi, secouer le caporal, et convaincre les troupes de croire en lui une dernière fois. Elle doit également, si possible, trouver un moyen de signaler sa présence sur l'île, afin que Miguel et le reste de l'équipage puissent les récupérer, Erwin et elle. L'adolescente ne doute pas un seul instant que son ami viendra à leur secours. Il fouillera la moindre parcelle rocheuse du quadrilatère, tant et aussi longtemps qu'il lui restera un espoir, si minime soit-il, de les retrouver sains et saufs. « On ne laisse personne derrière », l'a-t-elle souvent entendu dire. Il ne fera certainement pas exception avec elle! Les foulées s'enchaînent et les pensées de Jessica se clarifient. Les étapes de la réhabilitation du caporal se juxtaposent, l'une menant à l'autre de manière naturelle. Elle doit lui faire comprendre l'importance de ses hommes, puis amener les têtes fortes à reconsidérer leur opinion de leur chef. Ce petit projet personnel l'amuse au plus haut point. La mission de libérer les fantômes de leur malédiction se révèle une aventure hors du commun et l'idée de partager son savoir avec un disciple lui procure un plaisir supplémentaire. Elle se surprend à se demander où elle a bien pu apprendre à être une meneuse. Aucune académie ne l'a formée! Son père, peut-être? Elle se rappelle les trois étoiles qui brillaient au cou de celui-ci et dans lesquelles elle contemplait son reflet déformé lorsqu'il la portait dans ses bras...

Une fois l'objectif en vue, elle ralentit sa course. Comme le lui avait décrit le caporal, le champ de bataille est bordé d'une deuxième colline sur laquelle les troupes du roi se préparent au combat. Jessica change de stratégie. Elle prévoit chaque pas et choisit sa direction après avoir porté une minutieuse attention à l'environnement. Ignorant tout des stratégies militaires et de l'équipement de l'ennemi, elle opte pour la prudence. De toute évidence, Philippe de MontJalbac et Erwin en ont pour la journée avec leur recensement, alors nul besoin de se presser. Pendant deux bonnes heures, la jeune fille gravit la colline en profitant de chaque fourré pour dissimuler sa présence. Elle remarque une première sentinelle avant d'atteindre le sommet. Le soldat, consciencieux, mais blasé par l'absence d'action, est perché dans un arbre et scrute la plaine en bâillant. Jessica examine la possibilité de le prendre par surprise pour lui subtiliser son uniforme. Elle pourrait ainsi se glisser incognito dans le camp adverse! Si seulement elle avait quelques centimètres de plus : sa taille d'adolescente ne tromperait personne! Finalement, elle décide de le contourner plutôt par la gauche, afin de placer le tronc d'arbre entre elle et lui.

Quelques mètres plus loin, elle aperçoit enfin la base d'opérations de l'ennemi, dont l'installation n'est pas terminée. Les soldats ont délaissé leur lourd manteau pour travailler plus à l'aise, en chemise. Couchée sur le ventre, Jessica examine les lieux. La pagaille joue en sa faveur : les armes gisent sur le sol, en tas, dans l'attente d'un entrepôt, ce qui lui laisse le temps de les admirer à loisir. L'archaïsme de leur équipement, d'ailleurs identique à celui des fantômes, l'étonne profondément, comme s'il n'y avait eu aucune innovation au cours du dernier siècle. Même pour l'ancienne naufragée coupée du monde depuis sa tendre enfance, ces armes semblent dépassées. Aucun mousquet en vue, encore moins de pistolets. Côté canon, à peine quelques vieux modèles à courte portée ! La discipline ne l'impressionne pas plus que celle des hommes du caporal de MontJalbac : les soldats discutent au lieu de travailler et ne portent pas tous leur uniforme, dont certains morceaux traînent, abandonnés dans l'herbe verte.

Si les manteaux sont trop grands pour lui seoir parfaitement, ils pourraient par contre... La jeune fille entrevoit une possibilité trop parfaite pour être ignorée : aussi agile et silencieuse qu'une bélinote masquée, ce rongeur furtif des îles tempérées qui vole sa nourriture aux gros prédateurs, elle avance jusqu'au vêtement le plus proche. Personne à gauche, personne à droite; elle se glisse sous l'épais tissu et replie ses jambes en position fœtale. Rien ne dépasse, et la rondeur qu'elle forme sous le manteau ne devrait pas éveiller les soupçons des soldats. Une boutonnière lui permet même d'observer les alentours sans sortir la tête. Ainsi camouflée, Jessica entreprend la délicate tâche d'avancer discrètement.

Le premier essai est une réussite. Elle attend l'instant propice : lorsque tous les soldats sont absorbés par leurs tâches. Elle avance encore de quelques mètres, puis se replie sur ses jambes, complètement immobile. Plusieurs regards balaient le campement en devenir sans montrer le moindre signe d'intérêt. Elle recommence l'exercice trois fois avant d'entendre clairement une discussion. Malheureusement, les propos des soldats sont banals et inutiles : deux amis s'entretiennent de la sœur d'un troisième, soi-disant aussi jolie que désagréable. Tout de même encouragée, Jessica progresse jusqu'au centre des opérations. Elle entend des bribes de conversations, aussi tente-t-elle d'en retenir l'essentiel : l'armée ennemie est composée de cinq cohortes de fantassins, comprenant chacune vingt hommes. Peu d'entre eux sont armés de boucliers et aucun n'a participé à de vrais combats. Des « bleus » comme on dit dans le jargon militaire. La jeune fille compte retrouver la sécurité de la forêt lorsque le mot « étranger » capte son attention. De nouveaux soldats fraîchement arrivés de la ville relèvent les travailleurs déjà en place; l'un d'eux raconte les événements de la journée à une autre recrue.

— Venus de la Grande Eau, dis-tu ?

— Oui ! J'ai vu passer la charrette ! Six enfants et un vieillard, rien de bien menaçant.

— Et qu'est-ce que le caucus a décidé ?

— Le vote avait lieu en pleine heure de labours et, avec la cérémonie dans deux jours, tout le monde est bien trop occupé pour s'en donner la peine ! Seules deux vieilles craintives qui n'avaient même pas assisté aux audiences sont venues voter. Tu imagines le résultat : ils seront pendus ! En clôture des festivités.

— Pauvres enfants ! Si j'avais su, je serais allé voter ! À nous deux, nous aurions pu renverser le verdict !

— S'il fallait nous soucier de tous les individus ou de toutes les causes qui passent devant le caucus, nous n'aurions ni le temps de travailler ni celui de nous amuser !

Dans sa cachette, Jessica ne perd pas une seule parole : son équipage, pendu dans trois jours, juste après la bataille. Elle avait la certitude que Miguel était en route pour la chercher ! Et voilà que les rôles sont inversés; c'est elle qui doit les sauver ! Brusquement, sa capacité à faire du caporal de MontJalbac un commandant capable de mener ses troupes à la victoire dépasse le simple passe-temps : il s'agit désormais d'une question de vie ou de mort pour ses amis.

Chapitre 12

Jamais sans Elsie

Plus que deux jours à vivre. Un garde vient d'annoncer le résultat du vote public et la sentence fait son chemin dans l'esprit des prisonniers. Deux jours à végéter dans cette cellule, puis plus rien. Finis l'exploration, les nouvelles îles et les jeux avec les amis. Contempler la mort en face dans le feu d'une bataille est une chose, mais affronter cette dure réalité en faisant les cent pas dans une pièce d'à peine quelques mètres carrés en est une tout autre.

Chacun rumine le terrible sort qui les guette, quand le bruit de la clé dans la serrure les fait sursauter. Les gardes habituels entrent dans le sombre corridor qui mène à leur cellule. Le bruit de leurs pas déclenche l'angoisse de voir l'heure de la pendaison devancée chez les pessimistes, et l'espoir d'une grâce inattendue chez les optimistes. Le chef pointe un index accusateur vers Elsie.

— Toi, tu viens avec nous !

Les autres prisonniers se lèvent dans un geste de protestation, mais les soldats passent de longues lances à travers les barreaux et leur ordonnent de rester immobiles.

— La demande du roi a été on ne peut plus claire, il ne veut que la fille.

Tremblante, Elsie s'avance en échangeant un dernier regard avec ses amis : et si elle ne les revoyait plus jamais ? Dans les yeux de chacun, elle lit la même promesse : celle de faire le maximum d'efforts pour tenter de la sauver. Cette certitude redonne courage à la jeune blonde ; avec de tels amis pour l'épauler, même si ce n'est qu'en pensée, elle sent naître en elle la force d'affronter le pire. Elle traverse le corridor, la tête haute, entourée de soldats armés, comme s'ils escortaient la plus vile des criminelles. La lourde porte se referme derrière Elsie et les autres prisonniers se retrouvent seuls. Même le vieux geôlier a disparu, sans doute parti s'étendre sur un lit douillet, loin de ce sous-sol humide. L'attente recommence, à six plutôt qu'à sept. Miguel tend les bras à Winnie, qui vient s'y blottir. Le visage par-dessus l'épaule de la fillette, l'adolescent étudie la situation. Il acceptait d'attendre la mort en compagnie de ses amis, mais refuse catégoriquement d'être éloigné d'eux pour la braver. La colère le pousse à l'action : c'est décidé, ils doivent s'enfuir.

Chapitre 13

Entrevues

Le premier soldat s'assoit devant la table installée en plein air. Philippe de MontJalbac reste affalé en face de lui, la joue écrasée dans sa main, comme un élève récalcitrant. Erwin commence l'interrogatoire.

— Nom et grade ?

— Sous-lieutenant Jean Grandmaison, mon caporal ! répond l'homme interrogé, sur le ton sec d'une personne habituée à obéir.

— Quel est votre historique de combat ?

— J'ai servi sous le général Auguste de MontJalbac pendant dix années avant d'être affecté à ce bataillon.

Le caporal grimace à la mention de son père et se penche vers Erwin.

— Est-ce vraiment nécessaire ? demande-t-il en se lamentant.

Le premier soldat convoqué fait place à un deuxième, puis à un troisième. Chaque fois, Erwin pose les mêmes questions, et l'ennui du fantôme ne fait qu'augmenter. Le garde roux, qui avait repéré Jessica à son arrivée, s'assied à son tour.

— Nom et grade?

— Barnabé Ysenterre, simple soldat.

— Pour quelle raison vous êtes-vous engagé dans l'armée?

Le jeune fantôme pousse un long soupir. Il sort un mouchoir brodé de sa poche et le contemple avant de répondre.

— Pour Marinette, mon caporal. J'en étais fou! Son père refusait de la marier à un simple cultivateur. Pour l'impressionner, je me suis fait soldat.

Pour la première fois, le caporal lève la tête. Devant ce signe d'intérêt, Erwin encourage la recrue.

— Ce métier plaisait-il au père de votre bien-aimée?

— Il vouait un culte à tous les militaires et ne ratait jamais une occasion de montrer l'unique médaille qu'il avait gagnée au champ d'honneur.

Philippe de MontJalbac s'agite, pris d'une hargne aussi passionnée que soudaine. Il rapproche sa chaise et frappe la surface de bois si fort que les papiers d'Erwin s'envolent.

— Une médaille! C'est bien la seule preuve de la valeur d'un homme qui soit acceptée par les vieux imbéciles! Ce que mon père a pu me les montrer, ses foutues médailles! Poursuivez, soldat, poursuivez.

Les récits s'enchaînent pendant plusieurs minutes et l'entretien entre le jeune Barnabé et son supérieur se poursuit. Une connexion a enfin été établie entre le caporal et ses soldats. Après l'entrevue de Barnabé, les suivantes sont de plus en plus longues, à un point tel que les premiers interrogés sont rappelés à la table afin de divulguer de plus amples renseignements. Peu à peu, le mépris du caporal se transforme en un sentiment de profond respect pour ses soldats. Il se découvre une curiosité inattendue pour ces hommes qu'il avait toujours crus sans intérêt, puisqu'ils occupaient un niveau inférieur de l'échelle hiérarchique et sociale. Quelle surprise de découvrir tant se similitudes enfouies sous leurs uniformes sans galons ! Ses subalternes n'avaient peut-être pas fréquenté l'Académie, mais leur franc-parler et le cheminement de chacun fascinent l'aristocrate comme un roman exotique. Jamais Philippe de MontJalbac n'avait imaginé que certaines personnes puissent avoir besoin d'argent au point de s'engager à travailler à contrecœur, ou au point de quitter la maison à un jeune âge afin d'aider leurs proches. À en croire les dirigeants de l'école militaire, les soldats n'ont qu'une envie : se battre pour l'amour de la patrie. Si le mot « amour » a souvent été prononcé lors des entrevues, il a toujours été suivi d'un nom propre. Le caporal comprend alors qu'il y a autant de raisons de combattre qu'il y a de combattants. Mais la sienne, quelle est-elle ?

Chapitre 14

Une armée aux trousses

Jessica en a assez entendu. Il ne lui reste plus qu'à atteindre la lisière de la forêt sans être vue et retourner au camp fantôme pour élaborer un plan sans faille. Chose certaine, c'est en gagnant la grande bataille qu'elle réussira à libérer ses amis. Maintenant qu'elle sait que la vie de son équipage est en danger, l'attente sous le manteau lui semble interminable. Il se trouve toujours un soldat pour regarder dans sa direction et retarder son départ. En silence, elle peste : « J'ai autre chose à faire que de bouillir sous cette couverture à boutons. » Immobile dans sa cachette, Jessica entend des pas s'approcher. Aurait-elle été découverte ? La jeune fille cesse de bouger et suspend même sa respiration. Le battement de son cœur lui semble soudainement assourdissant.

— Je dois demander une permission au commandant, annonce la voix toute proche, à l'attention d'un interlocuteur invisible. Mieux vaut être présentable !

Le lourd manteau qui recouvre la capitaine de l'*Étoile filante* se soulève. Le soldat, découvrant une espionne en plein milieu du camp, demeure pantois; sa veste de militaire suspendu au bout de ses doigts, il regarde passivement la jeune fille s'enfuir. Elle réussit à parcourir une vingtaine de mètres avant qu'il réagisse.

— À moi ! Gardes ! Un intrus !

Jessica sèmerait n'importe quel poursuivant dans la végétation dense de la forêt, mais le refuge se trouve à une bonne distance et plusieurs soldats en alerte lui en bloquent l'accès.

« Dans quel bourbier me suis-je encore enlisée ? » pense-t-elle.

En scrutant les alentours à la recherche d'un chemin alternatif, ses yeux aperçoivent une charpente de bois. D'un bond léger, elle bifurque dans cette direction. Un de ses poursuivants plonge pour attraper ses jambes et s'écrase au sol. Deux autres soldats accourent simultanément en sens inverse et trébuchent l'un sur l'autre lorsque la jeune fille se dérobe d'un soudain saut arrière. Sur plusieurs mètres, Jessica zigzague à droite et à gauche pour éviter une main encombrante par-ci, une épée tirée par-là. Deux gardes arrivent par les côtés pour la forcer à se rendre. Vive et agile, Jessica saute au dernier moment pour échapper à l'embuscade, atterrit en roulade et continue sa course folle sans perdre de vitesse. Une fois à proximité de l'échafaudage, elle tourne vers la droite pour en longer la poutre principale. Dès qu'un soldat approche pour l'attraper, elle s'élève de terre, utilise la cuisse de son adversaire comme marchepied, se donne un élan en posant une botte sur la tête de ce dernier et bondit vers les hauteurs. Ses deux mains agrippent un montant trans-versal et l'athlétique capitaine se retrouve aussitôt debout sur la charpente, comme une funambule.

Sautant d'une planche à l'autre, Jessica poursuit son chemin sur son perchoir de bois, tandis que les gardes tentent de la déloger. Pendant que certains lancent leur épée dans sa direction, d'autres font la courte échelle à leurs camarades. L'adolescente réalise avec horreur que la structure, sous ses pieds, ne deviendra ni une bâtisse de commandement ni un entrepôt, mais bien l'échafaud voué à pendre ses amis. Terrifiée à la pensée que son équipage puisse se balancer au bout de longues cordes, Jessica est prise de vertiges. Aussitôt, une arme tourbillonne à quelques centimètres de son nez, lui rappelant sa situation précaire. La planche sur laquelle elle se trouve, sans doute en attente d'être coupée, dépasse la charpente d'un bon mètre. En trois lestes enjambées, elle la parcourt sur la longueur, saute de tout son poids sur l'extrémité et utilise son élan pour atteindre un arbre à proximité. Sa main attrape une branche au passage; elle disparaît dans l'épais feuillage et rejoint la forêt salutaire. Les gardes tentent d'organiser une battue, mais l'adolescente est déjà loin.

Chapitre 15

Plan d'évasion

Miguel récapitule la situation et fait l'inventaire des outils disponibles : au fond du corridor se trouvent une table, une nappe, un registre, une chandelle et un pichet d'eau. À l'intérieur de la cellule, il y a une paillasse, un pot de chambre et cinq garçons qui possèdent des habiletés diverses, excluant celle de crocheter des serrures. Une petite main tire sa chemise et lui rappelle que leurs effectifs comptent également une fillette de quatre ans.

— Le métal des barreaux semble fragile, déclare Chou en considérant le problème. Nous pourrions les tordre pour créer une ouverture.

— J'ai essayé, réplique Miguel, mais la simple force de nos bras est insuffisante pour réussir à les desceller.

— Avec un tourniquet, alors ? propose à son tour Aldebert. Installons une lanière de tissu autour de deux barreaux et un morceau de bois pour tourner en serrant. Ça pourrait faire l'affaire.

— Mais l'étoffe de nos chemises sera-t-elle assez solide ? demande Miguel en réfléchissant à la suggestion.

— Sèche, certainement pas, mais mouillée, peut-être ! s'exclame Bernard en sautant. Vous souvenez-vous du concours de corde organisé sur le bateau ? Il fallait tresser le cordage le plus solidement possible avec des lambeaux de voile. Ma victoire semblait assurée : ma corde était la plus serrée, mais celle d'Erwin a battu tous les records ! Cela m'a coûté plusieurs desserts, mais il m'a livré son secret : il avait simplement trempé les lanières de tissus dans l'eau; une histoire de fibres qui gonfleraient avec l'humidité. Je ne suis pas certain d'avoir bien compris, mais si sa corde mal tressée était assez solide pour soulever l'ancre, la mienne sera certainement capable de venir à bout des barreaux !

— Je veux bien sacrifier ma chemise, déclare Miguel. Mais comment la mouiller ?

Cinq paires d'yeux se tournent avec dégoût vers le pot de chambre, lequel a déjà servi à quelques reprises. Un silence gêné plane sur l'équipage. Winnie leur propose une solution de rechange en montrant du doigt la carafe d'eau laissée sur la table du geôlier. Avec ses longs bras d'adolescent en croissance, Basile réussit à saisir un coin de la nappe. Il donne un coup sec pour faire voler le récipient dans leur direction, mais réussit plutôt à faire basculer le meuble bancal. Jetée par terre, la carafe éclate en plusieurs morceaux et l'eau se répand sur le sol. Heureusement, le plancher de terre battue retient quelques flaques boueuses sur sa surface inégale. La nappe est choisie à l'unanimité pour tisser la corde, et l'une des pattes de la table servira de levier. L'opération « évasion » peut commencer.

***

Elsie est dirigée vers une salle d'eau un peu vétuste où deux femmes de chambre remplacent son escorte masculine. Lorsque l'une d'entre elles s'approche pour la déshabiller, sa première réaction est de refuser net, autant par pudeur que par principe. Après tout, pourquoi se laisserait-elle faire docilement, alors qu'on la retient injustement captive ? Néanmoins, sa volonté faiblit à la vue du bain fumant, un luxe rarissime pour n'importe quel membre de l'équipage d'un bateau. Pour ajouter à son supplice, les demoiselles y ajoutent quelques pétales de roses et lui présentent un choix de savons à la glycérine. La coquetterie l'emporte sur la rébellion ; Elsie se glisse dans l'eau chaude, plaisir à peine terni par une petite pensée coupable pour ses amis enfermés dans le noir et l'humidité.

***

— Encore un petit tour et nous y arriverons !

Chou encourage ses amis, tandis que Miguel, Basile et Bernard s'acharnent sur le tourniquet. Au bruit de torsion du tissu s'ajoute soudain la sourde plainte du métal qui se déforme.

— Ça marche ! s'exclame le garçon. Continuez !

Les trois tourneurs redoublent d'efforts. Les pieds glissent sur le sol et les fronts se couvrent de sueur. Millimètre par millimètre, les deux barreaux encerclés de lambeaux tressés se courbent et se rapprochent. Dans un grand craquement, la patte de table qui servait de levier se brise, envoyant valser les condamnés aux quatre coins de la cellule. Dès que la voie devient libre, Chou se précipite vers l'une des deux ouvertures. Son bras et son épaule traversent facilement, mais ses oreilles accrochent et le garçon doit étirer la peau de chaque côté afin de passer la tête sans y laisser un morceau. Winnie le suit avec beaucoup plus de facilité. Dans le corridor, le charpentier prend la fillette par la main et l'entraîne dans une ronde de célébration : « Libres, nous sommes libres ! » Mais lorsque les autres prisonniers tentent de les rejoindre, ils se rendent à l'évidence : aucun autre prisonnier ne pourra emprunter cet étroit passage.

***

Pendant près d'une heure, Elsie est savonnée, peignée, poudrée et pomponnée. La joie qu'elle a d'abord éprouvée s'est progressivement transformée en inquiétude. La jeune fille connaît quelques sociétés pratiquant la traite d'esclaves des-tinées aux harems. Sa valeur sur le marché serait-elle la raison de ce traitement parti-culier? Ou peut-être veut-on l'offrir en mariage à un dignitaire en récompense de services rendus à l'État? Une image de vieux noble repoussant s'impose à son esprit et un frisson de dégoût la traverse. La jolie blonde interroge les femmes qui l'entourent, mais les servantes refusent toutes de répondre à ses questions. Elles se contentent de l'habiller comme une prin-cesse. Lorsque l'escorte revient la chercher, elle est plus belle et plus nerveuse que jamais.

***

Chou traverse le corridor et colle son oreille encore endolorie à la lourde porte. Aucun son ne lui parvient. Winnie, toute fière de mettre en pratique les règles de politesse qu'elle a apprises d'Elsie, frappe trois fois le bois dur de son petit poing. Le bruit résonne comme un tambour dans une caverne. Aussitôt, le garçon la plaque contre le mur, une main sur la bouche. Si un garde se tient de l'autre côté, il aura tôt fait de vérifier la provenance de ces coups et de remettre les deux évadés dans leur cellule. Après tout, les rats qui peuplent habituellement le couloir demandent rarement la permission avant de sortir. Plusieurs secondes s'écoulent sans qu'aucun bruit provienne de l'extérieur. Chou tire la lourde porte et la fait pivoter sur ses gonds. Il passe la tête par l'ouverture : personne. Lorsqu'il se retourne vers ses amis toujours emprisonnés, ses yeux bridés pétillent de bonheur. Non seulement l'escalier est désert, mais là, juste à côté de l'entrée, se trouve la clé de la cellule.

***

Entourée de gardes, Elsie ignore quel sort on lui réserve. Elle se remémore la dernière heure, alors qu'on lui a prodigué des soins de beauté, et se réprimande de ne pas avoir tenté sa chance. Tant de possibilités ratées : elle aurait pu sauter par la fenêtre en agrippant le rideau, utiliser le tisonnier comme arme, peut-être même soudoyer une demoiselle en lui parlant des diamants cachés à bord de l'*Étoile filante* ! Trop tard. Les gardes arrêtent devant une porte richement décorée. L'un d'entre eux frappe. Après une attente interminable, une voix masculine ordonne :

— Faites-la entrer et laissez-nous seuls.

Chapitre 16

Planification

Jessica arrive en nage au camp fantôme. Elle trouve le caporal enseveli sous une impressionnante pile de papiers remplis de notes, qu'il étudie avec beaucoup d'attention. Erwin, pour sa part, est assis avec trois soldats. Il les assaille de questions :

— Les fantômes sentent-ils la chaleur ? Erwin coche une case sur sa feuille de papier. Peuvent-ils prendre des objets du monde réel ? Il fait une autre marque avec son crayon. La jeune fille rassemble les deux personnes qui constituent le cœur de son conseil de guerre et leur explique la situation : la bataille du surlendemain doit être gagnée, sinon, tout son équipage périra sur l'échafaud. Écoutant les explications de la jeune fille, Erwin passe par toutes les émotions : le soulagement d'avoir retrouvé sa sœur, l'angoisse de la savoir enfermée, la peur du combat à venir, la honte du sentiment précédent alors qu'Elsie court un grave danger. Jessica le tire de son introspection.

— D'après vos entrevues, qui devons-nous inviter pour planifier notre stratégie?

— Inviter? demande Philippe de MontJalbac, étonné. Mais il n'y a aucun haut gradé dans le camp!

— Non, mais il y a des soldats expérimentés! Combien de batailles avez-vous menées durant votre longue carrière militaire, caporal? demande alors Jessica avec une pointe de sarcasme.

L'effet de l'insulte est immédiat; le fantôme se rebiffe et fulmine contre la jeune fille. L'orgueil est une arme à deux tranchants : il pousse les gens intelligents à l'excellence, mais aveugle les plus butés et les incite à prendre de mauvaises décisions. L'adolescente risque gros en allant chatouiller celui du caporal; il pourrait facilement la jeter en dehors du camp. Philippe de MontJalbac descend plutôt de son piédestal d'aristocrate. Ravalant sa colère, il prend le parti de gagner le respect de la jeune capitaine en mettant en valeur ses capacités.

— Le vieil Henry est celui qui a servi le plus longtemps, Xander a vécu dans la région et connaît bien le terrain, et Barnabé a la réputation d'être l'esprit le plus aiguisé du régiment, madame.

Jessica sourit à l'ajout de ce titre, auquel elle ne s'identifie pas du tout. Elle doit avouer que le fantôme a bien travaillé, puisqu'en une seule journée, il a su rattraper une partie de son manque d'information au sujet des hommes placés sous son commandement. Il a de toute évidence réussi à canaliser ses frustrations et les transformer en une saine ardeur.

— Vous pouvez m'appeler « capitaine » ! dit-elle sur un ton satisfait. Erwin, va chercher ces trois soldats. Caporal, ordonnez au reste du bataillon de faire l'inventaire de notre équipement et d'en vérifier le bon état de marche. Moi, je prépare la table, ainsi que du café : de toute évidence, la nuit sera longue !

Chapitre 17

Des amis en devenir

Miguel, Chou, Basile, Bernard, Aldebert et Winnie rôdent dans les ailes du château. À leur plus grande surprise, celles-ci sont presque désertes : pas de page chargé de commissions, aucune demoiselle de compagnie courant rejoindre son galant à petits pas, et surtout, pas la moindre trace de patrouille de sécurité. Même la faible lueur de la lune ne peut camoufler le délabrement des lieux : les mauvaises herbes poussent entre les dalles du plancher et les poutres des plafonds sont couvertes de toiles d'araignées. La troupe traverse plusieurs corridors à la recherche de leur amie. Ils longent les remparts, gravissent d'interminables escaliers en colimaçon et se perdent dans le dédale des tourelles et des chambres d'invités. Au détour d'une galerie, l'un d'entre eux reconnaît la voix chantante d'Elsie parmi les sons provenant de l'extérieure. Tous se ruent vers la fenêtre la plus proche pour tendre l'oreille. La voix de leur amie semble provenir d'une seconde fenêtre, située juste en dessous de leur position. Aldebert et Basile descendent Miguel par les pieds en reconnaissance, se tenant prêts à le remonter au moindre signe d'alarme. Par l'ouverture, l'adolescent découvre une Elsie transformée en princesse, attablée devant un plateau de viandes froides, en compagnie du roi.

La fille de douze ans entame le deuxième sandwich d'un repas frugal lorsqu'elle entend un bruit sourd derrière elle. De surprise, elle se retourne et se réjouit de voir Miguel. Celui-ci, replié sur lui-même après une tentative ratée pour entrer héroïquement par la fenêtre, se redresse sur ses jambes et avance à sa rencontre. Christophe IV porte immédiatement la main à son fourreau et se souvient aussitôt qu'il a rangé son épée avant le repas, de crainte d'effrayer la belle. Miguel n'a pas commis la même erreur; l'adolescent sort une arme dérobée au passage dans l'un des couloirs explorés.

— Laisse-la partir, roi de pacotille!

Le jeune souverain attrape sa chaise par le dossier, tel un dompteur de fauves, et la place entre lui et l'agresseur.

— Elle est détenue prisonnière par la volonté de mon peuple. Un seul cri de ma part et une centaine de gardes entreront dans cette chambre.

Plus amusée qu'effrayée, Elsie s'interpose.

— Inutile de jouer les fanfarons! Asseyons-nous plutôt pour terminer le repas! Le dessert a l'air délicieux!

Sans se soucier des deux belligérants, la jeune fille valse jusqu'à sa chaise et s'y dépose comme un papillon sur une jonquille. Les deux garçons hésitent, mais leur agressivité fond devant le calme enjoué de la jolie demoiselle; ils optent alors pour la politesse et la rejoignent à table. Après trois bouchées silencieuses, la conversation reprend.

— En fait, tu tombes bien, Miguel, j'expliquais à Christophe que, comme roi, il ne vaut rien!

Tout en admirant la désinvolture avec laquelle son amie insulte celui qui les a condamnés à mort, Miguel demande plus d'explications. C'est le jeune monarque qui répond en lui proposant un résumé de la situation politique de l'île.

— Le peuple est invité à voter pour chaque décision importante du royaume. En tant que souverain, mon rôle consiste à définir les choix et à comptabiliser les votes.

— Combien de décisions sont-elles prises ainsi? s'enquiert Miguel, intrigué.

— Environ une quarantaine.

— Par année?

— Non, par jour! répond le roi, avec la fierté feinte du patriote désabusé.

Miguel, incapable de réprimer un fou rire devant l'absurdité de la situation, s'esclaffe.

— C'est absolument grand-guignolesque! Je n'arrive pas à trouver un autre mot! Et ce régime fonctionne-t-il bien?

Ce dernier apprend que le nombre de décisions votées au caucus décisionnel n'a cessé de croître avec les années et que le nombre de citoyens intéressés a diminué au même rythme. Le bel idéal démocratique instauré sous Christophe 1er s'est transformé en un cauchemar pour son descendant.

— Tout à l'heure, lorsque j'ai dit que je pouvais compter sur cent gardes, j'exagérais, avoue le roi. Seule une vingtaine de gardes du corps servent encore; ces vauriens se sont voté de multiples augmentations de solde et des diminutions d'heures. Les coffres de l'État sont vides et toute tentative de majoration d'impôts est systématiquement refusée. Il m'est de plus en plus difficile de maintenir l'équipe nécessaire à la gestion du château! Je dispose de moyens financiers insuffisants pour réparer les routes, pour financer les arts et même pour encourager le développement des technologies agricoles.

— Mais tu es le roi, lui rappelle Elsie, tu peux changer tout ça!

— Je refuse d'être un tyran comme les monarques du passé, qui imposaient leurs lois à grands coups de massue!

— Mais tu te préparais à nous pendre juste parce que deux mégères détestent les inconnus! ajoute Miguel.

Un long silence s'installe. Pragmatique et attentionné, comme d'habitude, Miguel en profite pour rassurer ses compagnons qui, après l'avoir vu disparaître par la fenêtre, sont toujours en attente de ses nouvelles. Une fois qu'Aldebert, Bernard, Basile et Chou sont attablés et que Winnie est couchée sous une couverture devant la cheminée, Miguel revient à la charge.

— Un chef qui ne prend aucune décision est une marionnette ! Écouter le peuple est louable, mais il faut faire des choix réfléchis qui sont parfois moins populaires, mais s'avèrent nécessaires pour le bien de tous !

— Et si je choisissais mal ? Si, par ma faute, le malheur et l'anarchie s'installaient sur l'île ? Je ne me le pardonnerais jamais !

— Présentement, le désordre et la confusion règnent, mais personne n'en assume la responsabilité !

Aldebert remarque une harpe à douze cordes dans un coin de la chambre, la place entre ses genoux et en pince les cordes tout doucement, pendant que Chou et Bernard s'allongent à côté de Winnie.

Lorsque Basile sort de la pièce, le jeune roi le laisse partir, sans tenter de l'en empêcher. À n'en pas douter, il n'y a plus ni souverain ni prisonniers dans la salle, juste des amis en devenir.

Christophe IV lève la tête, l'air penaud.

— Que feriez-vous à ma place ?

Pour seule réponse, Miguel se ressert de la mousse au chocolat. De toute évidence, la nuit sera longue.

Chapitre 18

Le discours du caporal

Jessica et le caporal de MontJalbac se relaient pour donner les ordres et réviser les stratégies mises en place la veille. Henry, Xander et Barnabé ont été d'un grand secours dans l'élaboration de celles-ci et ils ont eux-mêmes été impressionnés par les trouvailles de leur commandant. Le mélange de connaissances pratiques des subalternes et le savoir théorique de leur supérieur a permis de peaufiner un plan de bataille efficace et sans failles. Une rumeur s'est répandue dans le camp et remonte progressivement le moral des troupes : « Cette fois-ci est la bonne ».

Philippe de MontJalbac sort de sa tente en compagnie d'Erwin lorsqu'arrive Siméon, l'adjudant qui s'était si bien joué de Jessica lors de son arrivée. La jeune fille voit clairement, à la mine renfrognée du fantôme, qu'il y a de la mutinerie dans l'air.

— Toutes ces manœuvres sont nobles, caporal, mais qu'est-ce qui nous prouve que, le moment venu, vous ne perdrez pas courage comme chaque année ?

Les soldats autour d'eux tendent l'oreille, tous sont intéressés par la réponse, puisque cette idée a déjà traversé leur esprit. Vive comme toujours, Jessica monte sur une caisse de munitions et entreprend de défendre son élève. Mais celui-ci la somme de lui céder la place. Pour la première fois depuis son accession au poste, il y a plus d'un siècle, le caporal Philippe de MontJalbac s'adresse à ses hommes pour les motiver, au lieu de leur donner des ordres.

— Je sais que mes actions passées ne m'accordent pas le droit de vous demander votre respect, dit-il sur un ton repentant. Par ma faute, vous errez sur cette plaine depuis plus de cent ans. Au cours de ce siècle, j'ai moi-même à peine quitté mes quartiers. Deux jeunes gens sont venus m'ouvrir les yeux.

Il adresse un sourire entendu à Jessica et à Erwin.

— La première m'a montré qu'un grade acheté au prix fort ou quelques galons supplémentaires ajoutés à mon uniforme ne suffisaient pas pour mériter le titre de commandant. Le second m'a appris que la peur, sans disparaître, s'efface devant la volonté d'aider ceux qui comptent vraiment.

La capitaine jette un regard interrogateur sur son navigateur. Erwin rougit aussitôt. Le fantôme et le jeune froussard se sont liés d'amitié, sans nul doute en partie grâce à leur tare commune : la couardise. Pendant que Jessica jouait les professeurs, à son insu, son ami apprenait au caporal une leçon primordiale, sans laquelle tous ses efforts auraient été vains : il lui apprenait à gérer sa peur. Jessica donne un coup de coude amical à Erwin en guise de félicitations et reporte son attention sur le discours du commandant.

— Je n'ai pas la prétention de demander votre clémence, mais je vous prie de croire en moi; je ne vous décevrai pas. Depuis cent ans, la seule raison qui me poussait à mener la charge était de prouver mes capacités à mon père. Cette raison n'a jamais été suffisante pour m'aider à surmonter mes peurs. Cette fois-ci, d'autres raisons me guideront : je vous mènerai au combat pour la mère malade de Racinet, pour la jambe restante du vieux Martin, pour la retraite bien méritée d'Henry, pour la maison de campagne dont rêve Siméon...

Le caporal énumère ainsi chacune des raisons qui motivent sa présence parmi eux, sans en oublier une. Il termine sur cette explication :

— Et surtout, surtout, pour la Marinette de Barnabé.

À la mention de cette dernière, dont chacun s'est déjà fait vanter mille fois les mérites autour du feu de camp, tout le bataillon explose en un tonnerre d'applaudissements. Les hommes portent leur commandant sur leurs épaules et le parade dans le campement de long en large, à grand renfort de chansons de guerre.

« L'armée ennemie n'a aucune chance, pense Jessica, certaine de l'aboutissement de la bataille. Ils apprendront à la dure qu'il ne faut pas condamner l'équipage de la capitaine de l'*Étoile filante* à la mort. »

Chapitre 19

La vie de château

Christophe IV décide d'affirmer son autonomie et prend une première décision seul : il gracie les prisonniers venus de la Grande Eau. Après avoir remis à chacun un décret scellé du sceau royal, il les invite à profiter de son hospitalité aussi long-temps qu'ils le désirent.

Miguel emprunte aussitôt un cheval avec lequel il parcourt l'île à la recherche d'Erwin et de Jessica, dans l'éventualité où ces derniers s'y seraient échoués. Il aurait préféré étudier préalablement les cartes marines pour voir si d'autres îlots n'offraient pas de meilleures possibilités de refuges à ses amis, mais celles-ci avaient toutes été brûlées lors de la grande rébellion du siè-cle dernier. Le peuple, devant la menace d'une campagne de guerre navale, n'avait rien laissé au hasard. Aldebert, pour sa part, s'est installé sur la place publique. Le vieux conteur, tout étonné de son propre succès, raconte des histoires aux passants. En réalité, cette île est bien éloignée et les gens ignoraient jusqu'à l'existence même de ce métier. Winnie, qui ne se lasse jamais des fabuleux contes du vieillard, l'accompagne et tape du pied avec véhémence lorsqu'il ose changer un seul mot aux passages qu'elle connaît par cœur.

Avec la bénédiction du souverain, Chou fait la tournée des charpentiers de la ville à la recherche d'outils et de main-d'œuvre qui lui permettront de remplacer le mât de l'*Étoile filante*. Bernard joue avec d'autres enfants rencontrés au village, Elsie se promène dans les jardins avec le roi, et Basile... Basile s'affaire dans la cuisine, où il pétrit furieusement de la pâte destinée à la confection de roulés au jambon. Le cœur brisé, il observe Elsie et le roi Christophe qui s'échangent des regards langoureux depuis la veille. Le timide adolescent a toujours été amoureux de la jumelle. De toute évidence, ses seize ans mettent la jeune fille, de quatre années sa cadette, hors de sa portée, mais un jour, elle en aura vingt et l'importance de l'écart aura disparu. Alors seulement, il lui déclarera sa flamme en lui

offrant un parfum de sa fabrication : une fragrance fraîche à base de rosée et de lavande, qui rappellera le lever du soleil au premier matin du printemps.

Depuis des années, le jeune homme laisse le temps faire son œuvre en confectionnant, en rêve, le bouquet sublime qui lui permettra d'exprimer à la jolie blonde l'importance qu'elle a pour lui. Plusieurs fois, il a imaginé sa réaction : Elsie battra ses longs cils de surprise, puis rougira coquettement. Peut-être même déposera-t-elle un baiser reconnaissant sur sa joue. Basile a négligé de considérer un détail important : l'apparition d'un rival. Que peut-il contre un roi, son royaume, ses bains chauds et ses armoires remplies de robes d'étoffes délicates ? Ressassant sa peine, le cuisinier sort son rouleau à pâtisserie et attaque la boule de pâte à grands coups de chagrin.

Chapitre 20

Une charge historique

Miguel se prépare pour une deuxième journée de chevauchée à travers les champs. Il choisit la même monture que la veille et entreprend de la brosser, savourant le simple plaisir de cette tâche manuelle. À peine rendu au flanc droit de l'animal, Christophe le rejoint à l'écurie. Le jeune roi prépare lui aussi son cheval, auquel il installe une selle recouverte d'une housse brodée et des harnais d'apparat.

— Une petite chevauchée matinale ? demande l'adolescent pour lancer la discussion.

— Plutôt une apparition publique nécessaire, répond le souverain dans un long soupir. Le coup d'œil qu'il jette sur les appartements où logent Winnie et Elsie laisse peu de doute sur ce qu'il préférerait faire de sa matinée.

— C'est la fête annuelle de commémoration de la victoire de mon ancêtre, et je dois prononcer un discours pour clore les festivités.

— Les festivités ? Je croyais qu'il s'agissait plutôt d'une surveillance.

— Il fut un temps où l'événement était strictement militaire. Les soldats s'assuraient que les fantômes déshonorés ne prennent pas leur revanche. Mais comme il ne s'y passait jamais rien, le peuple a choisi de transformer l'opération en foire. Les jeunes hommes se déguisent en militaires et les familles pique-niquent dans l'herbe en se racontant des histoires de revenants.

— Des fantômes ? Mais ça n'existe pas !

— Évidemment ! Mais durant les quelques jours précédant la cérémonie, on aperçoit souvent d'étranges lueurs provenant de l'autre côté de la vallée, qui ont pour effet d'enflammer l'imagination ! Ma mère aimait citer une vieille prophétie selon laquelle une guerrière venue de la Grande Eau mènerait un jour le bataillon du caporal poltron au combat ! Lorsqu'elle me la contait, je me cachais dans ses jupons en scrutant l'horizon, de crainte de voir apparaître ces spectres du passé !

Si le souverain n'attribue qu'une saveur nostalgique à l'anecdote, elle résonne bien autrement aux oreilles de Miguel.

— Une guerrière venue de la Grande Eau, dis-tu?

— Parfaitement! Je l'imaginais haute de deux mètres avec des cheveux noirs de jais et...

Sans lui laisser le temps de terminer sa phrase, Miguel saute sur son cheval, en frappe les flancs de ses talons et fonce hors de l'enceinte du château.

— Pourvu qu'il ne soit pas trop tard!

***

Le soleil se lève sur la plaine. Jessica est déjà debout et révise la stratégie d'attaque. Une première ligne, menée par le caporal et elle-même, engagera la bataille de front en formation triangulaire pour percer la défense ennemie, pendant que deux troupes, assistées par Erwin, attaqueront les flancs à l'aide de flèches incendiaires. Le campement en feu devrait occuper un ou deux de leurs bataillons, ramenant ainsi le nombre d'ennemis à un ratio plus raisonnable. Une fois la tactique révisée, la jeune fille traverse le camp. Déjà, les fantômes s'affairent : certains astiquent leurs armes, d'autres brossent leur uniforme; elle accompagnera une troupe fière et bien organisée au combat. Plusieurs d'entre eux la saluent sur son passage. Trois jours lui auront suffi pour être acceptée comme une des leurs; mieux, comme un chef. Arrivée à la dernière tente, la jeune fille sort une longue-vue et observe la ligne ennemie. Les premiers soldats rivaux se sont installés dans le désordre le plus complet. Certains sont même assis en petits groupes dans l'herbe, occupés vraisemblablement à jouer aux dés. Son armée d'outre-tombe n'en fera qu'une seule bouchée.

***

Miguel n'a qu'une vague idée de la direction à prendre et se reproche de ne pas avoir demandé plus de précisions à Christophe. En avait-il seulement le temps? Le jeune homme doit agir vite, avant que Jessica lance un bataillon armé sur des innocents en pique-nique. Aussi

absurde que la prophétie puisse paraître, Miguel ne doute aucunement de sa véracité. S'il y a bel et bien un campement fantôme sur l'île, il peut compter sur sa fougueuse amie pour y avoir atterri, et pire, pour y changer le statu quo qui y règne depuis cent ans. Jessica agit comme agent de changement, c'est dans son caractère ! Coupée du reste du royaume, comment saurait-elle que, de l'autre côté de la plaine, la bataille s'est transformée en fête foraine et que les soldats qu'elle s'apprête à décimer sont en fait des paysans, des femmes et des enfants ? Couché sur l'épaisse encolure de son cheval, l'adolescent enfonce les éperons dans les flancs de l'animal. Les muscles de sa monture, déjà bien endoloris par la chevauchée de la veille, se plaignent du traitement infligé par le cavalier, mais Miguel tient bon : il doit empêcher ce massacre à tout prix.

***

Tous les fantômes ont pris leur formation. Devant eux, Jessica fait les cent pas. L'attente est insupportable. Au loin, des bruits éthérés rappellent la bataille d'autrefois : des épées absentes s'entrechoquent et des canons invisibles envoient des boulets imaginaires vers des ennemis inexistants. De l'autre côté de la plaine, l'armée de Christophe IV ne semble nullement perturbée par ces rumeurs, comme si la symphonie militaire ne jouait que pour le bataillon maudit.

— Va-t-il sonner, ce clairon?

Le vieil Henry, que l'âge a rendu patient, rassure la jeune fille.

— Il ne devrait plus tarder.

Barnabé porte sa main sur son cœur, à l'endroit de son uniforme où il garde précieusement le mouchoir de sa Marinette.

— Faites que le caporal sorte! Que nous soyons enfin libérés!

Un rayon de soleil éclaire la tente richement parée et leur envoie l'image prostrée de leur commandant à contre-jour. Personne n'ose répondre au jeune amoureux. Le clairon sonne: trois longs coups se font entendre. Les yeux se tournent vers la porte de l'abri où se terre le caporal poltron. Tant de fois, les fantômes se sont retrouvés dans cette situation, à fixer la tente de toile, avec l'espoir de voir apparaître celui qui les conduirait au combat. Tant de fois, cet espoir a été déçu. Les quelques actions entreprises par les deux étrangers suffiront-elles à changer le cours de leur histoire? Jessica elle-même était convaincue de sa réussite, mais trois interminables secondes s'écoulent et rien ne bouge dans l'abri de toile. Et si la peur était plus forte que tout?

Le caporal apparaît finalement, les yeux rougis par l'insomnie, fier, le port altier dans son uniforme impeccable. Sans dire un mot, il s'installe à la tête de ses hommes et lève son épée. Le silence le plus complet règne dans les rangs. Erwin et Jessica retiennent leur souffle, dans l'attente de cette charge historique en retard de près d'un siècle. Le caporal Philippe de MontJalbac pointe son arme en direction du champ de bataille et crie d'une voix ferme :

— CHARGEZ!

***

Les toits des chapiteaux pointent au-dessus de la cime des arbres. Miguel continue sa course et dirige son cheval vers les festivaliers en serrant les dents. Il traverse l'espace forain au galop, dépassant kiosques et fausses baraques militaires, totalement insensible aux odeurs et aux spectacles qui l'entourent. L'adolescent poursuit sa course et se dirige vers l'aire de pique-nique, où une trentaine de familles profitent de cette journée ensoleillée en regardant un cracheur de feu et en mangeant des pommes juteuses, enrobées de sucre bleu. Une rumeur inquiétante se propage dans l'assemblée. Les mères serrent leurs petits contre leur jupe et les fausses sentinelles sortent de leurs rêveries pour scruter l'horizon. Les lueurs familières sur la colline opposée se sont transformées en une ligne de soldats en formation d'attaque.

Miguel fonce vers l'armée sans craindre d'affronter tout un bataillon seul. Il est l'unique rempart qui puisse protéger la population insouciante du danger de cette horde de fantômes assoiffés de guerre et de vengeance : un cavalier solitaire contre une menace surnaturelle. Il reconnaît vite Jessica, chargeant à la tête de cette armée translucide sortie d'un autre âge. Bien concentrée sur la bataille imminente, elle ne réalise rien de ce qui se passe dans son dos.

Elle manque un spectacle époustou-flant.

Comme ils atteignent le milieu de la plaine, les soldats quittent le sol, un à un, pour s'élever vers le ciel : ils abandonnent leurs armes et lèvent les bras vers la lumière du soleil où ils semblent accéder au plus grand des bonheurs. Pour certains, c'est un parent qui les accueille, d'autres se retrouvent sur une petite ferme dans une vallée. Les fantômes désertent l'île les uns après les autres en destination des cieux, créant au loin une pluie inversée de parti-cules verdâtres.

***

Lorsque Jessica se retourne, le caporal s'est élevé à son tour et lui crie « merci », suivi d'un salut militaire auquel elle répond par de grands gestes de la main. Elle essuie une larme de joie en voyant tous ses nou-veaux compagnons enfin libérés de la malédiction.

Bientôt, seuls restent sur la plaine la jeune fille venue de la Grande Eau et un cavalier au galop.

Jessica ne s'inquiète nullement de la disparition de son armée; elle n'en a plus besoin. Malgré la distance, elle reconnaît à contre-jour la silhouette qui trotte à sa rencontre.

— Je venais te sauver de la pendaison, lance-t-elle avec un sourire.

— Et moi, te sauver de toi-même, répond Miguel en lui tendant la main.

Jessica monte en croupe sur la monture de Miguel et appuie sa tête sur le dos de son ami, heureuse de l'avoir retrouvé. Ils font signe à Erwin de les rejoindre, et tous trois chevauchent en direction du château, pour des retrouvailles qui s'annoncent festives.

Lorsque, plus tard, la population présente sur les lieux se remémorera l'événement, certains parleront d'un miracle, d'autres d'hallucinations, et d'autres, encore, du courage retrouvé de celui que la légende avait baptisé le caporal poltron. Il se trouvera même quelques témoins dans la foule qui jureront avoir entendu une voix de femme criant « Mon Barna-bébé! » alors qu'un soldat à la chevelure rousse atteignait les premiers nuages.

Chapitre 21

Vive la république

Après les retrouvailles amicales, riches en émotions et en récits d'aventures, les huit amis se dirigent vers la fête foraine. Les anciens naufragés dégustent en silence des morceaux de sucette fondante, puis Elsie entraîne ses amis vers l'estrade.

— Christou va faire son discours! Venez!

Erwin donne un coup de coude à Miguel en articulant silencieusement ce prénom qu'il entend pour la première fois.

— Je présume que ta sœur fait référence à Christophe IV, roi de ce royaume. Durant ton absence, ils ont tous les deux passé beaucoup de temps ensemble, explique l'adolescent, volontairement évasif.

Erwin emboîte le pas aux autres, bien curieux de faire la rencontre de ce soi-disant seigneur, qui n'est certes pas assez bon pour mériter les égards de sa jumelle ! Mais même si Erwin est certain qu'il méprisera Christophe au premier regard, dès que celui-ci monte sur le podium pour s'adresser à la foule, le frère protecteur partage l'opinion de sa sœur : le roi est charmant, sûr de lui, et ses propos font preuve d'une grande sagesse.

— Peuple de mon île, dit-il pour commencer. Vous vous attendez certainement à un discours portant sur la dernière guerre et sur les retombées positives de celle-ci. Au contraire, j'aimerais vous entretenir de notre système politique, qui nous empêche de progresser dans le domaine des arts, de la culture et de la technologie. Notre retard sur ces trois plans alourdit votre quotidien et l'absence de navigation nous a coupés du monde. En retrouvant son courage, le caporal poltron a libéré ses soldats de la malédiction. C'est à notre tour de nous libérer des erreurs de nos ancêtres en démantelant le caucus décisionnel. La prochaine fois que vous exercerez votre droit de vote, ce sera pour choisir un nouveau système qui, cette fois, vous permettra de garder un meilleur contrôle sur le destin de notre belle île, sans pour autant que le fardeau repose entièrement sur vos épaules.

L'assemblée applaudit et Elsie pousse un soupir de soulagement. Les propos du roi ont été bien reçus. La jolie blonde ferme les yeux pour mieux écouter le murmure de la foule en liesse : « Pas trop tôt... Plus sage que son père... Marre de voter tous les jours... » Elle tente de retenir chacune de ces phrases pour les répéter à Christophe lors de leur prochaine promenade. Elle sourit intérieurement et attend avec impatience la fin de la fête pour le retrouver.

Épilogue

Trois semaines plus tard, Jessica se retrouve sur le pont de l'*Étoile filante*. Le nouveau mât est installé et les cales sont remplies de vivres. Ils pourront naviguer des mois durant, car tous les dommages causés par la tempête ont été réparés. Chou et le nouveau chantier naval du roi ont bien travaillé. Les quelques semaines passées sur l'île ont été bénéfiques à tous. Les anciens naufragés n'avaient manqué de rien auparavant, mais ce premier séjour au sein d'une société civilisée les a enrichis sur bien des plans. Erwin s'est amélioré en mathématiques grâce à un vieil inventeur que les blocages du caucus décisionnel en matière d'innovation avaient forcé à l'ermitage. Miguel s'est adonné à l'équitation avec tant de plaisir et d'abandon qu'il a même tenté, en vain, de convaincre sa capitaine de prendre un cheval à bord pour faciliter l'exploration de futures îles. Bernard, de son côté, est devenu champion de balle-volante, un sport pratiqué par les enfants du village et qui consiste à rester en équilibre perché sur des poutres de différentes hauteurs tout en empêchant un ballon de toucher le sol.

Seul Basile semble encore plus pressé que Jessica de reprendre le large. Il était le premier à bord en ce matin de leur départ. Enfermé dans la cambuse, il sort son long nez par la fenêtre et guette, comme la capitaine, l'arrivée des membres de l'équipage. Chou arrive, talonné de près par l'architecte naval qui prendra sa relève à la tête du chantier royal. Le nouveau responsable harcèle son cadet de questions de dernières minutes auxquelles l'hyperactif répond, fait rarissime, par des monosyllabes, afin de s'en débarrasser. Après trois semaines à enseigner tout ce qu'il sait sur la construction de bateaux, le jeune charpentier a l'impression d'avoir le cerveau quelque peu surmené. Il grimpe à bord et se dirige droit vers Jessica.

— On m'a confié un message : nous repartons avec une personne en moins !

De la cuisine retentit un grand fracas d'assiettes. En entendant la nouvelle, Basile a laissé tomber la vaisselle qu'il était en train de ranger. « Ça y est, pense-t-il, Elsie est amoureuse. Elle reste avec son roi; je ne la reverrai plus jamais. » Le cuisinier sent son cœur se déchirer en tout petits morceaux.

Ignorant l'émoi qu'il cause, Chou continue.

— C'est Aldebert! Il a décidé de fonder sa propre guilde de conteur, ici même. Christophe, maintenant qu'il règne en maître, a réuni des fonds pour encourager les arts et notre ami a offert ses services! Il prend déjà des apprentis! Il est heureux, je pense! Il a trouvé sa place! Le plus merveilleux avec les îles coupées du monde, c'est que personne ne connaît les classiques!

Jessica approuve de la tête.

— Alors, il ne manque plus qu'Elsie! Justement, la voici qui arrive avec le roi... ou devrais-je dire le président, puisqu'il est élu depuis hier? Avertis Miguel de préparer la levée de l'ancre.

Le charpentier court vers la cale, alors que Jessica envoie la main à son amie Elsie. Celle-ci lui répond par un sourire, sa main droite portant un panier rempli de cadeaux, et sa gauche étreignant celle de Christophe. Ce dernier semble triste, mais résigné. Il aurait bien suivi les naufragés dans leur périple sur la Grande Eau, mais les habitants du royaume ont besoin de lui. Ils lui ont fait l'honneur de lui donner sa chance en tant que chef d'État et il est décidé à redorer le blason de l'île, sans guerre ni conquête. Jessica quitte la proue pour entamer les manœuvres de départ. En passant devant la cuisine, elle ne peut s'empêcher d'y jeter un coup d'œil. Basile, un balai à la main, ramasse son dégât avec un sourire niais. Ce soir, à bord de l'*Étoile filante*, l'équipage se régalera de paupiettes de pieuvre en mousseline.

TABLE DES MATIÈRES

Prologue 7
1. Exercices de manœuvres 9
2. Au cœur de la tempête 15
3. Elsie s'impose 21
4. Naufragée 25
5. Terre! 29
6. Le camp fantôme 35
7. Capturés 41
8. Guerre d'antan 47
9. Jessica prend un disciple 53
10. Le caucus décisionnel 59
11. Espionnage militaire 65
12. Jamais sans Elsie 73
13. Entrevues 77
14. Une armée aux trousses 81
15. Plan d'évasion 85
16. Planification 93
17. Des amis en devenir 97
18. Le discour du caporal 105
19. La vie de château 109
20. Une charge historique 113
21. Vive la république 125
Épilogue 129

Annie Bacon

Née à Montréal en 1974, Annie Bacon passe sa jeunesse en banlieue à rêver de lieux plus exotiques.

Ayant compris, comme Jacques Brel, qu'elle ne pourrait être Vasco de Gama, elle décide plutôt d'amener les autres en voyages au fil de son imagination. Si c'est en jeux vidéo qu'elle a fait ses premières armes, ce n'est que pour mieux plonger ses lecteurs en plein cœur de l'action et de l'aventure.

Visitez son site: **www.romanjeunesse.com**

Sarah Chamaillard

Bonjour! C'est moi l'illustratrice de ce roman. J'espère que mes illustrations égaieront la lecture de cette aventure passionnante.

Il y a longtemps que je gagne ma vie en dessinant, mais c'est la première fois que je participe à un ouvrage aussi emballant. Je me suis tout de suite attachée aux personnages qui m'ont inspirée très fortement. En tant qu'illustratrice, je dois savoir représenter toutes sortes d'idées et certaines ne sont pas nécessairement intéressantes. Mais je me suis beaucoup amusée cette fois-ci.

Je vous souhaite une bonne lecture!

Dans la série *Terra Incognita*
Les naufragés de Chélon
Pirates à bâbord !

MIXTE
Papier
FSC FSC® C005834

Achevé d'imprimer en août 2010
sur les presses de l'imprimerie Gauvin,
Gatineau, Québec